Mais, soudain, elles entendent une
sorte de caquetage de poule apeurée
et elles se précipitent sur la terrasse.
Et qui voient-elles ? La sorcière Camomille
en personne qui, ayant grimpé jusque-là
pour les surveiller, s'est empêtrée
dans l'antenne de la télévision !

Roser Capdevila

Camomille et les Trois Petites Sœurs
chez Ali Baba

Éditions du Sorbier

Les Trois Petites Sœurs ne font pas toujours les quatre cents coups. Parfois, elles sont sages... comme aujourd'hui où elles sont en train de préparer le repas pour faire une surprise à leurs parents.

Oh ! là ! là ! Qu'est-ce qu'elles rigolent
les Trois Petites Sœurs ! À tel point
que Camomille, très fâchée, les envoie
sur-le-champ à l'intérieur d'un conte
très connu, juste au moment où quarante
voleurs à la queue leu leu se dirigent vers
leur repaire.

Les fillettes les suivent et peuvent ainsi
voir le chef de la bande crier devant la grotte
« Ouvre-toi sésame ! » Et le rocher, crrrrac !,
s'ouvre en grand.

Ni une ni deux, les fillettes font de même et découvrent à l'intérieur un vrai bric-à-brac d'objets. « C'est le repaire des brigands où ils entassent tout ce qu'ils ont volé ! » s'écrie alors Héléna.

Les fillettes, qui savent maintenant dans quel conte elles se trouvent, sortent de la grotte et courent au village. Il y a partout des affiches promettant une forte récompense à quiconque capturera ces bandits. Et les Trois Petites Sœurs veulent que la prime revienne à Ali Baba.

Ali Baba écoute attentivement les fillettes mais il n'arrive pas à y croire. Sa femme, qui l'évente pour chasser les mouches, le pousse alors à accompagner les Trois Petites Sœurs à la grotte. Finalement, gagnés par l'enthousiasme, ils décident de s'y rendre tous ensemble.

Une fois devant la porte, les fillettes
crient : « Ouvre-toi sésame ! »
Et le rocher, obéissant, s'ouvre
en grinçant. Ali Baba et sa famille
en restent bouche bée.

Maintenant, il ne reste plus qu'à décider comment retrouver les voleurs. Mais, où sont-ils passés ces gredins ? « Vous savez ce que nous pouvons faire ? » s'exclament les trois fillettes. « Si nous emportons tous ces objets, ils viendront au village les chercher. Et alors nous les attraperons ! » Aussitôt dit, aussitôt fait.

Pendant ce temps, les quarante voleurs se reposent dans une petite oasis, sans même imaginer le piège qui leur est tendu...
Soudain, la sorcière Camomille apparaît et leur annonce : « On est en train de vous voler ! Faites attention ! C'est la faute de trois fillettes. »

Le chef se fâche tout rouge car c'est
une honte pour un voleur de se faire voler.
Comme il ne peut entrer au village avec
ses comparses sans se faire remarquer, il
ordonne à ses hommes de se cacher dans
des jarres. Lui, il se fera passer pour un
marchand.

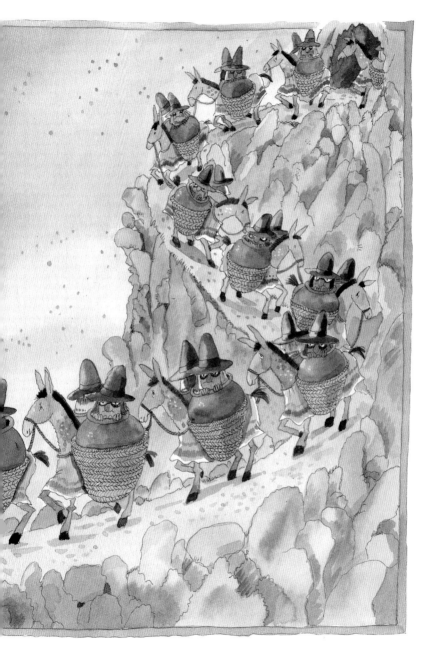

Effectivement, le chef des brigands et sa
bande réussissent à pénétrer dans le village
et à se cacher. À la tombée de la nuit,
Camomille va les chercher et leur montre la
maison d'Ali Baba. Pauvre Ali Baba et
pauvres fillettes, si les bandits les
capturent... !

Ce soir-là, les fillettes ont allumé
la télévision. C'est la grande finale
de la Coupe de l'émir. Ils sont tous
tellement pris par le jeu (même
Camomille, qui adore le football)
qu'ils en oublient complètement
les voleurs !

Quand ces derniers se préparent à entrer dans la maison pour récupérer leurs biens, ils tombent en arrêt devant le téléviseur : un but risque d'être marqué, ce n'est pas possible ! Profitant de la situation, les villageois s'approchent doucement, ils veulent se venger !

Ainsi s'achève l'histoire. Les voleurs sont aussitôt jetés en prison, les Trois Petites Sœurs rentrent chez elles et Camomille pleure à chaudes larmes. Et savez-vous pourquoi ? Cette fois, ce n'est pas parce que les Trois Petites Sœurs ont déjoué ses plans mais parce que son équipe a perdu la Coupe ! Vous vous rendez compte ?

Titre original en espagnol :
Las Tres Mellizas y los Cuentos Clásicos
Alí Babá y los cuarenta ladrones

© 1990, R. Capdevila
Illustrations : Roser Capdevila
Texte : Mercè Company
© Tous droits réservés :
Cromosoma, SA, 2003, Barcelone (Espagne)
www.cromosoma.com
www.troispetitessœurs.com
Connectez-vous sur : www.lamartiniere.fr
© 2004, Éditions de La Martinière, S. A.
2, rue Christine – 75006 Paris
ISBN : 2-7320-3791-5
Conforme à la loi n° 49-956 du 16 juillet 1949
sur les publications destinées à la jeunesse
Dépôt légal : mars 2004
Imprimé chez Gràfiques Maculart, Barcelone